ROOS en Ruben *

Schoolreis met een staartje

Een dief in de straat
is deel 1 in de serie Roos en Ruben

Geflitst
is deel 2 in de serie Roos en Ruben

Schoolreis met een staartje
is deel 3 in de serie Roos en Ruben

Roos en Ruben *

Schoolreis met een Staartje

Liesbeth van Binsbergen

Met illustraties van Hanneke Kools

COLUMBUS

NEDERLANDSE
KINDERJURY
2007

Schoolreis met een staartje
Binsbergen, Liesbeth van

ISBN (10) 90-8543-034-8
ISBN (13) 978-90-8543-034-6
NUR 282
AVI-5

Ontwerp omslag: Buitenspel, Meppel
Illustraties omslag en binnenwerk: Hanneke Kools
Opmaak binnenwerk: Gerard de Groot

Uitgeverij Columbus is onderdeel van Uitgeversgroep Jongbloed te Heerenveen

www.jongbloed.com

Inhoud

1. Schoolreis

'Schoolreis, hoi, hoi, hoi!
Schoolreis, hoi, hoi, hoi!'
Joelend komt groep vier naar buiten.
Bij het schoolhek staat een bus.
'Wat een grote, hè?' vindt Roos.
Ruben knikt.
'Maar ook een beetje een ouwe.'
'Hoezo?' vraagt Roos.
'Nou, gewoon,' zegt Ruben.
'Dat kan ik zó wel zien.'
Hij trekt zijn rode petje recht.
'Blufkikker,' zegt Roos zacht.
Echt weer iets voor jongens!
Een oude of een nieuwe bus.
Het maakt háár niet uit.
Als de bus maar rijdt!
Als hij hen maar naar het pretpark brengt!
Roos neemt een grote hap lucht.
Ze heeft er zó'n zin in!
Achter elkaar stappen ze de bus in.
Roos gaat naast het raam zitten.
Ruben ploft naast haar neer.

Algauw heeft iedereen een plekje gevonden.
De bus begint te brommen.
'Zwaaien!' roept juf Anja.
Ze wijst naar buiten.
Daar staan veel moeders.
Ruben zwaait met zijn petje.
Roos met haar beide handen.
'Dag mam! Tot vanmiddag!'

De bus rijdt.
Roos frunnikt aan haar kaartje.
Het zit met een speld vast aan haar shirt.

Een groen kaartje met een aap.
Vandaag hoort ze bij de groene apen.
Ruben ook.
En Sem, Nienke en Karlijn.
Juf Anja is hun leidster.
Zij is ook een groene aap.
Roos grinnikt.
Groene apen bestaan helemaal niet!

2. Pretpark of speeltuin

'Ik wou dat we al in de speeltuin waren,' zegt
Sander.
Hij zit achter Roos en Ruben.
'Speeltuin?' roept Roos.
'Het is geen speeltuin.
Het is een pretpark, of niet, juf?'
Juf Anja buigt zich naar hen toe.
'Het is een park, waar je kunt spelen.
En waar je dus veel pret kunt hebben.'
'Dus is het een pretpark,' vindt Roos.
'Nee, een speeltuin,' vindt Sander.
'Want je kunt er spelen.'
'Wat zeuren jullie toch,' moppert Ruben.
'Het is gewoon allebei!'
Roos lacht.
'Dan noem ik het een prettuin.'
'En ik een speelpark!' roept Sander.
Roos kijkt naar Ruben.
'En jij?'
Ruben denkt even na.
'Ik noem het een pretspeelparktuin.
Nou goed?'

Roos giert het uit.
'Ha, die is goed!'

Roos kijkt uit het raam.
'Juf, zijn we er al bijna?
Bij het prettuinsp...
of hoe heet het ook alweer?'
Juf lacht.
'Het duurt nu echt niet lang meer.'
Ze wijst naar buiten.
'Kijk, we zijn al in het bos.'
Ja, dat had Roos al gemerkt.
Het lijkt een stuk donkerder in de bus.
Ze tuurt naar buiten.
'Misschien zitten hier herten.'
'Of zwijnen,' meent Ruben.
'Brr,' rilt Roos.
Sander tikt op hun schouder.
'Er zijn in ieder geval apen.'
Ruben wil zijn arm naar achteren zwaaien.
Maar opeens ziet hij een bord
langs de kant van de weg.
'We zijn er!' roept hij.
'Ik zie al een heel hoog ding!
En kijk dáár... wauw, een achtbaan!'

De bus remt af.
'Nog even blijven zitten!' waarschuwt juf.
Met een schokje staat de bus stil.
De chauffeur pakt de microfoon.
'Wie wil er mee naar Lutjebroek?
Die moet blijven zitten.
De rest hier uitstappen graag.'
Iedereen gaat staan.
'Wat jammer nou,' vindt de chauffeur.
'Nu moet ik helemaal alleen.'
Hij doet of hij huilt.
Roos lacht.
'Dan gaat u toch met ons mee?
Mag best hoor!'
De chauffeur lacht nu ook.
'Dat doe ik toch maar niet.
Ik ben bang voor de achtbaan
en al die andere draaidingen.
Nee, laat mij maar lekker in mijn bus!'

3. De achtbaan

De deuren van de bus gaan open.
Iedereen wil tegelijk naar buiten.
'Ho, ho... niet dringen!' zegt juf.
Maar het helpt niet echt.
Roos ziet dat Sander vooruit rent.
Hij wil zeker als eerste in het pretpark zijn!
'Kan lekker toch niet,' meent Ruben.
En daar heeft hij gelijk in.
Juf moet nog kaartjes kopen bij de kassa.
Maar als dat gebeurd is,
gaat het hek open.
Eindelijk, de pret kan beginnen!

Ruben wil meteen in de achtbaan.
Maar Roos weet het nog niet.
'Kom op!' zegt Ruben.
'Hij gaat niet eens over de kop.
Je bent toch geen watje?'
Wat... een watje?
Natuurlijk is Roos geen watje!
Ze gaat naast Ruben in het wagentje zitten.
Voor hen hangt een ijzeren stang.

'Hij zit helemaal niet vast!' zegt Roos bang.
'Dat gaat straks vanzelf,' weet Ruben.
Roos hoopt maar dat hij gelijk heeft.

Ze kijkt achterom.
Daar zitten Sander en Sem.
Ze roepen naar Nienke.
Nienke staat langs de kant te kijken.
'Ga jij ook?' roept Sander.
'Gaaf, zeg!'
Maar Nienke schudt haar hoofd.

Klik, doet de stang boven hun benen.
Nu zitten ze vast.
'We gaan!' joelt Ruben.
De achtbaan begint te rijden.
Roos kijkt nog een keer om.
Nienke zwaait naar hen.
De achtbaan gaat omhoog.
Een heel eind omhoog.
Dan duikt hij opeens naar beneden.
'Hou je vast!' joelt Ruben.
Roos knijpt haar ogen stijf dicht.
De wind waait langs haar gezicht.
Iedereen gilt en schreeuwt.
Roos kijkt héél even.

Daar komt een bocht.
En daarna nog één.
Oei, wat gaat dat hard!

4. Het rode petje

De achtbaan stopt.
'Ik ga nog een keer!' roept Ruben.
Hij sluit achteraan in de rij.
'Jij ook?'
Maar Roos heeft een ander plan.
'Ga jij maar, Ruub!
Dan maak ik wel een foto van jou!'
Ze zoekt een plekje naast de achtbaan.
Nienke komt bij haar staan.
Roos wil haar fototoestel pakken,
maar oeps... wat is dat?
Er vliegt iets roods door de lucht!
Roos weet meteen wat het is:
het petje van Ruben!
Een eindje verderop landt het.
In de buurt van een prullenbak.
Roos en Nienke sprinten erheen.
Ze speuren de grond af,
ze kijken in de prullenbak,
maar er is geen petje te zien.

De achtbaan is weer gestopt.
Roos ziet hoe Ruben uitstapt.
Zonder pet!
'Zie je wel?' zegt Roos.
'Het was wel zijn pet.
Ik snap er helemaal niks van.
Geen sikkepit!'
'Ruub!' schreeuwt ze.
'Je pet!'
Maar Ruben hoort het niet.
Hij lacht naar hen.
'Nog één keer!' gilt hij.
Voor de derde keer gaat hij in de rij staan.

'Kom,' zegt Nienke.
'Dan gaan wij ergens anders heen.'
Roos knikt.
Ruben wil toch steeds in de achtbaan...
En dat petje vinden ze misschien nog wel...

5. Een staart of zo?

Op een bankje zit juf Anja.
'Niet te ver uit de buurt, hoor.
Straks gaan we samen
naar de andere kant van het park.'
Roos kijkt rond.
Nienke wijst naar de draaimolen.
'Zullen we daarin gaan?'

De draaimolen is heel groot.
Er rijden heel veel paarden rond.
Nienke klimt op een wit paard.
Roos kiest een bruine.
Er klinkt gezellige muziek.
'Hup paard!' zegt Nienke.
Ze klakt met haar tong.
'Galop!' roept Roos.
Maar haar paard gaat niet sneller.
Wel gaat het op en neer.
Net als de golven van de zee.
Heerlijk is dat.
Roos kijkt omhoog.
Boven de draaimolen is een groot, rond dak.

Handig, denkt Roos.
Blijf je lekker droog als het regent.
Maar o... wat is dat?
Wat hangt daar aan de rand van het dak?
Wat is dat voor een lang ding?
Het lijkt wel een stuk touw...
Maar... het beweegt!
Wat raar, zeg!

Roos wil nog eens goed kijken,
maar de draaimolen draait door.
En haar paard rijdt mee.
Toch blijft Roos omhoog kijken.
Kijk, daar is het weer!
Een lang, bruinig ding.
Het zwaait soms heen en weer.
Het ziet er een beetje pluizig uit.
Nou ja zeg, het lijkt wel...
een staart of zo!
Maar... bij een staart hoort een beest!
Zit daar misschien een beest op het dak?
Roos hangt helemaal achterover,
maar ze ziet niets meer.
De staart is verdwenen.
Het beest laat zich niet meer zien.
De draaimolen staat stil.

Roos laat zich van haar paard afglijden
en rent naar de achtbaan.
Dit moet Ruben weten!

6. Lang en pluizig

Ruben is net uitgestapt.
Roos trekt aan zijn arm.
'Ruub, hoor eens... ik zag...
Ik zag een staart of zo!'
Ruben lacht.
'Je paardenstaart zeker.'
'Nee, echt!' roept Roos.
Ze wijst naar de draaimolen.
'Daar... echt waar!'
Ruben kijkt haar verbaasd aan.
'Kom zelf kijken!' roept Roos.
'Er zit hier een beest!'

Ze gaan terug naar de draaimolen.
Ze lopen er helemaal omheen.
Ze turen en gluren naar het dak,
maar er is niets meer te zien.
'En toch was er een staart,' houdt Roos vol.
'Ik weet het echt heel zeker!'
'Hoe zag die staart er dan uit?' vraagt Ruben.
'Kort en een beetje dik?
Of lang en een beetje pluizig?'

'Ja,' knikt Roos.
'Lang en een beetje pluizig.
Precies, zo zag het eruit.'
Ruben denkt dat hij het wel weet:
'Het was vast een eekhoorn!
Dat kan toch best?'
Roos kijkt om zich heen.
Er zijn hier wel heel veel bomen.
Het pretpark ligt midden in het bos.
Een eekhoorn, dat zou best kunnen...
Opeens rent Roos weg.
'Kom mee!'

7. Eekhoorn, eekhoorn...

Ruben blijft een paar tellen staan.
Dan rent hij achter Roos aan.
Die staat al onder een boom.
Dicht bij de grote draaimolen.
Ze peutert aan het riempje van haar tas.
Even later houdt ze een broodje omhoog.
'Wat ga jij nou weer doen?' vraagt Ruben.
'Eekhoorntjes lokken,' zegt Roos.
Ze breekt een stukje brood af
en houdt het op haar vlakke hand.
'Er zitten hier vast méér eekhoorns.
En ik heb er nog nooit een in het echt gezien.'
Nee, Ruben ook niet.
Hij pakt ook een boterham
en strooit stukjes brood rond de boom.
Roos kijkt omhoog langs de dunne boomstam.
Eekhoorns kunnen heel hoog klimmen.
Dat heeft ze wel eens gehoord.
Houden eekhoorns ook van liedjes?
Roos begint zachtjes te zingen.
'Eekhoorn, eekhoorn,
met je lange staartje,

eekhoorn, eekhoorn,
klim maar met een vaartje,
tikke takke tonen,
roetsj... in de bo...'

'Stop!' roept Ruben opeens.
Roos schrikt ervan.
'Heb je er eentje gezien?'
Ruben schudt zijn hoofd.
'Nee, dat niet, maar...
eten eekhoorntjes eigenlijk wel brood?'
Roos denkt even na.
'Volgens mij eten ze...
O Ruub... kijk dan... dáár!'

8. Dat kan nooit!

Roos wijst naar een tak boven hen.
Daar heb je het lange, pluizige ding weer.
Ruben ziet het nu ook.
Het is echt een staart!
Tussen de bladeren zit een klein, bruin beestje.
Nee, meer oranje, vindt Roos.
Samen met Ruben tuurt ze omhoog.
Ze zeggen niets...
Opeens buigt het beest zijn kopje.
Twee donkere, ronde oogjes kijken hem aan.
Even, héél even maar.
Dan springt-ie weg.
De kruin van de boom beweegt.
De bladeren ritselen.
'Het w... was...' stottert Roos.
'Het l... leek wel... een aapje!'
Ze blijven nog een poosje kijken,
maar het beestje komt niet terug.
'Kom,' zegt Ruben.
'We moeten naar juf!'
Achter elkaar hollen ze weg.
Juf Anja staat bij de grote glijbaan.

Ze maakt een foto van Sem en Sander.
Ze staat heel stil.
'Juf!' gilt Roos.
Ze trekt aan jufs arm.
Juf draait zich half om.
Het toestel valt bijna uit haar hand.
'Puh, je laat me schrikken!'
'Juf!' gilt Roos nog een keer.
'Er is hier een aap!'
Juf lacht.
'O, malle Roos,' zegt ze.
'Hoe kom je daar nou bij?'
'Echt waar!' roept Ruben.
'Wij zagen hem zelf!'
Sem en Sander komen er ook bij.
Ze horen wat Ruben zegt.
'Ha, een aap?' lacht Sander.
'Dat kan nooit!
Apen leven in het oerwoud!'
Dat denkt juf ook.
'Jullie hebben, denk ik, een eekhoorntje gezien.
Eekhoorntjes lijken net kleine aapjes.'
Roos kijkt naar Ruben.
En Ruben kijkt naar Roos.
Ze halen hun schouders op.
'Misschien heeft juf gelijk,' zegt Ruben.

'Misschien was het toch een eekhoorn.'
Sander wijst naar Roos.
'Het komt door jouw kaartje.
Daarom denk je steeds aan apen.'
Roos wordt boos.
'Doe niet zo dom!' roept ze.
'Wat weet jij er nou van?
Ga naar je eigen nijlpaarden!'
Ze wijst naar Sanders blauwe kaartje
met een nijlpaard erop.
Ze stampt op de grond.
'Ho, ho,' zegt juf.
'We maken geen ruzie vandaag.
Ga maar gewoon lekker spelen.'

Roos en Ruben lopen weg.
Roos kijkt nog een keer om.
Juf Anja loopt naar juf Margreet.
Sander en Sem klimmen
de trap van de glijbaan op.
Ze geloven het gewoon niet.
Niemand gelooft het!
Maar Roos weet het zeker:
het was een aap!

9. De man met de stok

Bij de schommels loopt een man.
Hij heeft een blauw shirt aan.
In zijn hand heeft hij een stok.
Aan het eind daarvan zit een tang.
Daarmee raapt hij rommel op.

Die man werkt bij het park.
Roos stapt naar de man toe.
'Meneer?' vraagt ze zacht.
De meneer kijkt op.
'Zeg het eens?'
Roos haalt diep adem.
'Meneer... wonen hier ook dieren?
Ik bedoel, in het pretpark hier?'

Het is even stil.
De meneer kucht.
'Heb jij iets gezien dan?'
De meneer plukt aan zijn snor.
Hij lacht haar niet uit.
Hij vindt het geen gekke vraag!
'Nou?' vraagt de meneer.
'Heb jij een dier gezien?'
Nu durft Roos wel.
'Ik zag... we zagen een dier.
In het bos achter de draaimolen.
Ja toch, Ruub?'
Ruben knikt.
'Ja, ik zag het dier ook.
Het leek op een eekhoorn.
Maar nog meer op een aap.'
De meneer kijkt hen aan.

'Een aap, zei je?
Weet je dat heel zeker?'
'Bijna heel zeker,' zegt Roos.
De meneer pakt zijn stok.
'Lopen jullie even mee?'
Met grote passen loopt hij voor hen uit.
Roos en Ruben kunnen hem bijna niet
bijhouden.
Ze gaan naar de ingang van het park.
Daar doet de meneer een deur open.
Een deur met een bordje erop.
Kantoor, leest Roos.
Kantoor?
Wat moeten ze in een kantoor?

10. In het kantoor

De meneer wijst naar twee stoelen.
'Ga maar even zitten,' zegt hij.
Zelf blijft hij staan.
Hij pakt een mobieltje
en tikt een paar nummers in.
Roos en Ruben luisteren.

'Ha Ben, met Jaap.
Kun je even hier komen?'
....
'Ja, in het kantoor.'
....
'Nou, er zitten twee kinderen hier.
Ze hebben een aap gezien.'
....
'Ja, dat zeggen ze.'
....
'Oké...'

Meneer Jaap legt het mobieltje neer.
'Zo meteen komt Ben hier.
Hij werkt ook in dit park.

Hij wil graag weten wat jullie gezien hebben.
Het kan belangrijk zijn.'
'Waarom?' vraagt Roos zomaar opeens.
Meneer Jaap plukt aan zijn snor.
Dat doet hij vaak, vindt Roos.
Dan zegt hij:
'Er is een aap ontsnapt.'
'Wat?!' roepen Roos en Ruben.
Ontsnapt?
Hun mond valt open.
De meneer knikt.
'Uit het park hier in de buurt.
Het apenpark.
Twee dagen geleden.
Het kan dus best zijn
dat hij hierheen is gegaan.'
De deur gaat open.
Er komt een lange meneer binnen.
Hij geeft hun een hand.
'Ik heet Ben,' zegt hij.
'Vertel eens...
Wat hebben jullie gezien?'
Roos begint.
Ze vertelt van de draaimolen
en van het beest in de boom.
De meneer luistert rustig.

Als Roos klaar is met haar verhaal,
staat hij op.
'Ga jij alvast een kijkje nemen, Jaap?
Neem die kinderen maar even mee.
Dan bel ik naar het apenpark.'
Meneer Jaap loopt naar de deur.
Hij wenkt Roos en Ruben.
'Gaan jullie mee?'

11. Zoeken

Ze lopen dwars door het park.
Bij de draaimolen blijft meneer Jaap staan.
Hij kijkt naar het hoge, ronde dak.
'Dus hier zag je een staart?'
Roos knikt.
'Ja, en dáár ook.'
Ze wijst naar het bos achter de draaimolen.
Meneer Jaap loopt alweer weg.
Tussen de bomen blijft hij staan.
'Waar... wijs eens aan?'
Roos twijfelt.
Welke boom was het ook alweer?
'Een van deze bomen,' zegt ze.
Meneer Jaap tuurt een hele tijd omhoog.
Met zijn hand boven zijn ogen.
'Niks te zien,' zucht hij.
'Maar hij was hier echt!' roept Roos.
'Heel echt!' roept Ruben.
'Mm...' mompelt meneer Jaap.
'Dat kan best.
Maar dan zit hij nu ergens anders.
We zullen moeten zoeken.'

'Mogen we helpen?' vraagt Ruben.
Meneer Jaap lacht.
'Helpen kijken mag altijd.
Ga lekker spelen en houd ondertussen
je ogen goed open!'
Meneer Jaap wil weglopen.
'En als we het aapje weer zien?' vraagt Roos.
'Wat moeten we dan doen?'
Meneer Jaap kijkt hen aan.
'Dan meteen naar het kantoor komen!
Metéén... begrijp je?'

12. Op apenjacht

Meneer Jaap loopt weg.
Roos zucht.
'We moeten helpen zoeken!
Maar hoe?'
Ze gaat op de grond zitten.
Ruben ploft naast haar neer.
Samen denken ze heel diep na.

'Hebben jullie Karlijn gezien?' zegt een stem.
Roos kijkt op.
Voor hen staat Nienke.
'Net waren we samen nog op de glijbaan
en toen was ze ineens weg.
Hebben jullie haar gezien?'
Ruben schudt zijn hoofd.
'Wat doen jullie?' vraagt Nienke.
'Waarom zitten jullie hier?'
'We denken na,' zegt Ruben.
'Ja,' zegt Roos, 'we denken heel diep na.'
Nienke kijkt hen een beetje vreemd aan.
'We zoeken namelijk iets,' zegt Roos.
Nienke draait zich half om.

Ze wijst naar de uitkijktoren.
'Als je daar bovenop staat,
kun je alles heel goed zien.
Ik ben daar ook op geweest.'

'Dat is het!' roept Ruben.
Hij springt op en rent weg.
Roos gaat hem achterna.
'Maar… wat zoeken jullie dan?' vraagt Nienke
nog.
'Een aap!' gilt Roos.
'We moeten op apenjacht!'

13. Op de toren

De uitkijktoren is bij de ingang van het park.
Door een deur kan je naar binnen.
Ruben rukt aan de klink.
Dan rennen ze de trap op.
Roos probeert de treden de tellen.
Veertig… vijftig… zestig… pff…
Pas bij tachtig zijn ze boven.
Roos kan bijna niet meer.
Ze voelt een steek in haar zij.
Boven aan de trap is weer een deur.
Ruben duwt hem open.
Nu staan ze buiten.
Om de toren zit een hek.
Dat is maar goed ook!
Oei, wat is het hier hoog!
Roos kijkt door de spijlen naar beneden.
Nienke heeft gelijk.
Je kan hier heel ver kijken.
Je kan het hele pretpark zien!
De achtbaan en de draaimolen,
de glijbaan en de fietsbaan,
de schommels en de bootjes…

Maar alles is een stuk kleiner.
De mensen lijken net poppetjes.
Om het pretpark zijn allemaal bomen.
Hier zie je pas hoe groot het bos is.
Het lijkt wel een oerwoud!

Ruben komt naast haar staan.
'Zie jij iets verdachts?'
Roos tuurt en tuurt.
In de verte zien ze de draaimolen.
'Daar...' wijst Ruben.
'Die boom beweegt!'
Roos kijkt heel goed.
'Alle bomen bewegen,' zegt ze dan.
'Dat komt door de wind.'
Ruben zucht.
'Zo vinden we de aap niet.'
Hij loopt terug naar de deur.
'Kom, we gaan weer naar beneden!'

14. Opnieuw naar het bos

Onder aan de toren staat Nienke.
'En... hebben jullie iets gezien?'
'Niks,' zegt Ruben een beetje nors.
'En ik kan Karlijn niet vinden,' zegt Nienke.
'Ze loopt steeds maar weg.'
'Misschien kan je ons helpen,' bedenkt Roos.
Blij kijkt Nienke haar aan.
'Ja,' zegt ze zacht.
'Dat wil ik wel.'
'Wat gaan we doen?' vraagt Ruben.
'Nog even bij het bos kijken?'
Roos knikt.
'Dat lijkt me het beste.'

Ze lopen opnieuw naar het bos.
'Het aapje kan ook weg zijn,' meent Roos.
'Hoezo weg?' vraagt Ruben.

'Gewoon...' zegt Roos.
'Terug naar het park waar hij woont.
Misschien weet hij de weg wel.'
'Misschien wel,' zegt Ruben.
'Maar misschien ook niet.
Hij kan ook verdwaald zijn.
Toch?'
Roos knikt.
Ze denkt aan het aapje.
Verdwalen is niet leuk.
Verdwalen is zielig...

15. Tussen de struiken

Met z'n drietjes gaan ze zoeken.
Bij elke boom kijken ze omhoog.
Achter hen horen ze muziek.
De gezellige muziek van de draaimolen.
'Hé, moet je zien!' zegt Roos opeens.
Ze wijst naar een dikke tak.
Er hangt een mand aan.
Een rieten mand met blaadjes.
'Wie zou dat gedaan hebben?'
'Meneer Jaap?' denkt Ruben hardop.
'Of iemand van het apenpark?'
'Apen lusten graag blaadjes,' weet Nienke.
Roos kijkt haar aan.
Hoe weet Nienke dat nou?
Maar het kan best.
Dan is de mand opgehangen
om het beestje te lokken.
'Sst,' sist Ruben.
'We moeten stil zijn
en heel goed luisteren.
Goed luisteren en goed kijken.'

Roos loopt naar een struik.
'Het is beter als we ons verstoppen.'
Ze wenkt Ruben en Nienke.
'Kom!' zegt ze zacht.
Ruben en Nienke komen dichterbij.
De takjes onder hun voeten kraken.
Dan kruipen ze tussen de struiken.
Samen wachten ze af.
Oei, wat is dit spannend!
Zou het aapje nog in de buurt zijn?
Roos duwt een paar takjes opzij.
Ze houdt de mand met blaadjes
goed in de gaten!
'Aapje...' zingt ze zacht.
'Kom dan aapje...'
'Sst,' sist Ruben.
Roos houdt haar adem in...
In het pretpark is lawaai genoeg,
maar hier in het bos is het stil.
De minuten gaan voorbij...
Hoe lang zitten ze hier al?

16. Daar!

Roos verschuift haar voeten.
Heel voorzichtig.
Kon ze maar even staan!
Ze zit al zo lang op haar hurken...
En haar nek doet ook zeer.
Dat komt van het omhoog kijken.
En er is nog steeds niets te zien.
Roos is het zat.
Misschien kunnen ze maar beter...

Opeens krijgt ze een duw tegen haar arm.
Roos valt bijna omver.
'Au!' wil ze roepen,
maar opeens ziet ze Nienkes gezicht.
Nienke houdt haar vinger op haar mond.
Ze wijst naar de boom achter hen.
Langzaam draait Roos zich om.
Daar... daar hangt de staart!
De lange, pluizige staart!
Het aapje is er nog steeds!
Wat nu?
Heel zachtjes schuift ze naar Ruben.

Ze wijst naar boven.
'Ruub... kijk!'
Ruben kijkt.
Maar heel even.
Dan kruipt hij uit de struiken.
'Kantoor,' zegt hij met zijn lippen.
Hij rent weg.

Roos blijft stijf naast Nienke zitten.
Samen kijken ze naar de staart.
Die slingert zachtjes heen en weer.
Opeens ritselen de bladeren.
Een paar takken bewegen.

Roos schrikt.
Het aapje gaat toch niet weer weg?!
Bijna wil ze roepen: 'Blijf hier!'
Maar Nienke sist: 'Sst.'
Roos durft zich niet meer te bewegen.
Als Ruben nu maar gauw terug is!

17. Help!

Nog een paar minuten blijven ze stil zitten.
Ze turen naar de staart.
Die zit nu een heel stuk hoger.
Bijna in het topje van de boom.
'Blijf zitten,' zegt Roos steeds.
'Blijf zitten, apie.'
Ze kijkt naar het pretpark.
Zou Ruben al gauw komen?

Ja, daar komt hij!
Met een hele groep mensen.
Mensen met blauwe shirts,
maar ook mensen met groene shirts.
Meneer Jaap loopt voorop.
Ruben loopt naast hem.
Hij wijst naar de top van de boom.
De mensen praten zachtjes met elkaar.
Roos en Nienke kruipen uit de struiken.
Stilletjes gaan ze bij de anderen staan.
Naast Roos staat een mevrouw.
Ze heeft een groen shirt aan.
Een groen shirt met een wit aapje erop.

Deze mevrouw hoort bij het apenpark!
Over haar arm heeft ze een kleed.
Wat gaat ze daarmee doen?
Roos stoot haar aan.
'Mevr...' zegt ze.
Maar de mevrouw legt haar vinger op haar
mond.
'Sst...'
En dan kijkt Roos alleen maar.
Ze ziet nog meer mensen met kleden.
Dekens of zo.
Maar daar... wat is dat?
Wat heeft die meneer in zijn hand?!
Dat is... dat lijkt wel...
Roos schrikt.
'Ruub,' zegt ze zacht.
Haar stem bibbert.
'Ze... ze gaan schieten!'
Nu ziet Ruben het ook.
Die ene meneer heeft een pistool.
'Gaat-ie dood?' roept Roos.
Haar stem klinkt heel vreemd.
De mevrouw naast haar glimlacht.
'Nee hoor,' fluistert ze.
'Doerak gaat niet dood.
We gaan hem alleen maar verdoven.'

Verdoven... waarom?
Verdoven... doet dat pijn?
Roos weet het niet.
Maar ze durft niets meer te vragen.
Ze kijkt naar de meneer met het pistool.
Hij richt naar de top van de boom.
Dan schiet hij.
Foetsj...
Er vliegt een pijltje door de lucht.
Meteen rennen er mensen naar de boom.
Ze houden samen een deken vast.
Roos houdt haar adem in.
Wat gebeurt er nu?
Iedereen kijkt naar boven.
Opeens ziet Roos iets vallen.
Het is oranje en pluizig.
Het is het aapje!
Hij valt naar beneden!
'Help!' gilt Roos.
Ze rent naar de boom.
Plof! hoort ze.
De mevrouw lacht naar haar.
'Hij is gevallen,' zegt ze.
'En keurig opgevangen.
We hebben hem!'

18. Doerak

Roos kijkt in de deken.
Daar ziet ze het aapje liggen.
Het lijkt net of hij slaapt.
Och, wat een liefie…
Roos zou hem willen aaien.
Ze zou hem willen knuffelen.
Ze zou hem wel willen houden!
Doerak wordt in een deken gewikkeld.
'Waar gaat hij heen?' vraagt Roos.
'Eerst naar de dokter,' vertelt de mevrouw.
'De dokter?' vraagt Ruben.
De mevrouw knikt.
'Ja, de dokter van ons apenpark.
Die houdt hem in de gaten.
Totdat hij weer helemaal opgeknapt is.
Dan kan hij terug naar zijn familie.
Tenminste…'
De mevrouw stopt even.
'Als dat kan.'
'Hoezo?' wil Roos weten.
'Er was ruzie,' vertelt de mevrouw.
'Ruzie in Doeraks apenkooi.

En soms is die ruzie zo erg,
dat de familie een aap verstoot.'
'Verstoot?' vraagt Ruben verbaasd.
'Wat is dat?'
De mevrouw denkt even na.
'Dan willen ze hem niet meer.
Dan sturen ze hem weg.'
'O,' zegt Roos zacht.
Ze is er een beetje stil van.
'En dan?' vraagt Ruben.
'Als hij niet meer in zijn kooi kan?'
De mevrouw zucht.
Ze haalt haar handen door haar haar.
'Dan moet hij verhuizen,' zegt ze.
'Waarheen?' vraagt Ruben.
'Hij mag wel bij mij,' zegt Roos.
De mevrouw lacht.
Ze kijkt naar Roos
'Dat is heel lief van je.
Maar dat doen we maar niet.
Apen horen bij apen.
En niet bij mensen.
Als Doerak niet in ons park kan blijven,
gaat hij naar een ander park.
Of naar een dierentuin.'
Jammer, denkt Roos.

Een aapje in huis...
Zou dat niet grappig zijn?

Achter hen horen ze een fluit.
Roos en Ruben kijken om.
Nu zien ze het pas.
Er staan heel veel mensen achter hen.
Sander staat er ook tussen.
Roos loopt naar hem toe.
'Zie je wel dat er een aap was?'
Sander kijkt haar aan.
'Ja, je had gelijk,' geeft hij toe.

Juf blaast nog een keer op haar fluit.
'Friet... er staat friet voor ons klaar!'

Ruben gaat al.
Roos kijkt nog een keer achterom.
Doerak is niet meer te zien.
Hij is in een deken gewikkeld.

Een meneer houdt hem stevig vast.
Roos zwaait.
'Dag Doerak!' zegt ze zachtjes.
'Ik hoop dat het goed met je gaat.'

19. Meneer Ben

Ze eten in het restaurant.
Wat een kabaal is het daar!
Iedereen praat door elkaar.
Over de aap en over het geweer.
'Ik dacht dat hij dood was!' roept Sem.
'Hij was oranje!' roept Karlijn.
'En hij heet Doerak,' zegt Roos.
Sander kijkt haar verbaasd aan.
'Doerak? Hoe weet jij dat?'
Roos vertelt.
Alles wat de mevrouw van het apenpark zei.
'Poeh,' zegt Sander.

Er loopt een lange meneer door het restaurant.
'Meneer Ben!' roept Ruben.
'Meneer Ben van het kantoor.'
Achter meneer Ben loopt nog iemand.
Hij heeft een groen shirt aan.
Ze lopen naar het tafeltje van juf Anja
en praten zachtjes met haar.
Daarna blaast juf Anja op haar fluitje.
Bijna meteen is het rustig.

Meneer Ben kucht.
'Hebben jullie een fijne dag gehad?'
'Jaaaa!' joelt iedereen.
Meneer Ben lacht.
Als het weer stil is, praat hij verder.
'Voor ons was het ook een bijzondere dag.
Wij hadden een aapje op bezoek.
Gelukkig is hij gevangen.
Een paar kinderen hebben het aapje gevonden.
En niet alleen gevonden...
Ze hebben het ook aan ons verteld.
Zodat wij meteen het apenpark konden bellen.
En dat was maar goed ook!
Of niet?'
Meneer Ben kijkt naar de man naast hem.
De man met het groene shirt knikt.
'Nou en of!
Wij waren onze Doerak namelijk kwijt.
Al meer dan een dag.
En we waren zó ongerust!
Doerak is nog maar twee jaar oud
en hij is niet gewend aan de wijde wereld.
Er had van alles kunnen gebeuren!
We hadden overal al gezocht,
maar het bos is hier zo groot...
Gelukkig is het goed afgelopen.

Ik wil daarom graag een paar kinderen
bedanken.
Wie van jullie waren het ook alweer?'
Meneer Ben wijst naar Roos, Ruben en Nienke.
De apenmeneer komt naar hen toe.
Hij geeft hun een hand.
'Dankjewel,' zegt hij vriendelijk.

20. Vragen

'Meneer!' roept Sander opeens.
'Waarom gingen ze schieten?'
'Tja,' zegt de meneer van het apenpark.
Een aap is heel lenig en snel.
Die vang je niet zomaar een, twee, drie.
Maar als je een aap verdooft,
gaat het makkelijker.
Dan kan hij niet meer wegspringen.'
'Ik was ook een keer verdoofd,' zegt Sem.
'Dat was bij de tandarts.'
De meneer lacht.
'Wou de tandarts jou ook vangen?'
'Tuurlijk niet!' schatert Sem.
'Maar ik had een gat!'
Het is even stil.
De apenmeneer kijkt rond.
'Zijn er nog meer vragen?'

Karlijn steekt haar vinger op.
'Hoe kon de aap uit het park komen?
Zijn daar geen hoge hekken?'
De apenmeneer wrijft over zijn kin.

'Goeie vraag,' zegt hij.
'Dat weten we nog niet precies.
Misschien staan de bomen te dicht bij elkaar.
Dat gaan we binnenkort bekijken.
Nog meer vragen?'

Meneer Jaap steekt zijn vinger op.
'Ja, ik heb nog een vraag.'
De kinderen lachen.
Meneer Jaap haalt iets roods uit zijn zak.
'Is iemand dit ding verloren?'
'Je petje!' sist Roos.
Ze stoot haar vriend aan.
Ruben kijkt.
Dan voelt op zijn hoofd.
'Mijn petje...?' zegt hij verbaasd.
'Was ik die kwijt dan?'
'Suffie!' lacht Roos.
'Vanmorgen, bij de achtbaan!'
Ruben steekt zijn vinger op.
Hij krijgt zijn petje terug.

Roos begrijpt er niets van.
'Ik heb vanmorgen overal gezocht,
maar ik kon hem nergens vinden.'
'Misschien had Doerak hem,' bedenkt Sem.

'Kan best, hoor,' zegt Sander.
'Apen spelen altijd met van alles.'
Tja, denkt Roos.
Het zou best kunnen...
Je weet het maar nooit!